Do mo thuismitheoirí, Tomás agus Mary F. — Ailbhe

Do mo bhean chéile, Bernadette — Steve

Foilsithe den chéad uair i 2010, faoi chlúdach crua, ag Futa Fata, An Spidéal, Co. na Gaillimhe, Éire
An t-eagrán seo, faoi chlúdach bog © 2017 Futa Fata

An téacs © 2011 Ailbhe Nic Giolla Bhrighde
Maisiú © 2011 Steve Simpson

Faigheann Futa Fata tacaíocht ón gComhairle Ealaíon dá chlár foilsitheoireachta do pháistí.

Tá Futa Fata buíoch d'Fhoras na Gaeilge faoin tacaíocht airgid.

Foras na Gaeilge

ISBN: 978-1-910945-29-2

Cáca don Rí

scríofa ag

Ailbhe Nic Giolla Bhrighde

maisithe ag

Steve Simpson

Ní raibh áit ar domhan arbh fhearr leis na luchóga
a bheith ná teach báicéara Rúbaí Rua.

Is ann a rinne Rúbaí a draíocht gach maidin lena
spúnóg adhmaid is lena babhla beag.

B'aoibhinn leis na luchóga cead a bheith acu cabhrú léi.

Ach níor theastaigh aon chabhair ó Rúbaí riamh.

"Déanfaidh mé féin é, asam féin," ar sí.

"Go raibh míle maith agaibh ach níl aon chúnamh uaim."

Mar sin …

… ní raibh le déanamh ag na luchóga ach

bheith ag breathnú ar Rúbaí ag bácáil gach aon lá.

Bhácáil sí pióga is pancóga, meireanganna is macarúin,

is milseoga blasta de gach aon saghas.

Ach an rud b'iontaí a bhácáil Rúbaí Rua ná …

… cácaí lá breithe.

Bhí na cácaí lá breithe chomh híontach sin,
ní dhearna sí ach aon cheann amháin sa lá.
Gach ceann acu chomh blasta le póigíní
síog agus clúdaithe le reoán ildaite.

Tháinig custaiméirí ó gach áit le cácaí
lá breithe Rúbaí Rua a bhlaiseadh.
Tháinig siad anuas ó na sléibhte, aníos ó na gleannta,
amach ó na coillte is isteach ón bhfarraige.
Agus lá amháin …

… anuas ón gcaisleán, tháinig an Rí féin chuici!

"A Rúbaí Rua," ar sé. "Teastaíonn cáca uaim do mo lá breithe amárach."

Bhí Rúbaí ar bís.

Bhí na luchóga ar bís.

Cáca don Rí! Ó bhó go deo.

Nár mhór an ónóir í!

Thosaigh Rúbaí ag bácáil láithreach bonn.

Le babhla is spúnóg, le plúr is im, le huibheacha circe is siúcra bán. B'aoibhinn leis na luchóga cead a bheith acu cabhrú léi. Ach níor theastaigh aon chabhair ó Rúbaí, faraor.

"Déanfaidh mé féin é, asam féin," ar sí. "Go raibh míle maith agaibh ach níl aon chúnamh uaim."

Mar sin …

… ní raibh le déanamh ag na luchóga
ach bheith ag breathnú ar Rúbaí ag bácáil.
Síos is aníos léi. Anonn is anall.
Ó chistin go cuntar go cistin arís.
Suas ar na seilfeanna ó bhun go barr.
Ní raibh blaisín de dhraíocht nár chaith
Rúbaí sa bhabhla. Ní fhaca
na luchóga a leithéid riamh.

Ag obair gan sos, gan dinnéar, gan tae,
lean Rúbaí uirthi ag bácáil don Rí.
Chroith sí is bhris sí.
Mheasc sí is bhuail sí.

Dhoirt sí is bhlais sí.

Is mhaisigh sí an cáca ar fad aisti féin.

Faoi dheireadh …

... bhí cáca an Rí réidh. Bhí Rúbaí marbh tuirseach.

"Imigí libh isteach a chodladh anois," ar sí leis na luchóga.

"Beidh teachtaire an Rí anseo go luath ar maidin leis an gcáca a bhailiú."

Is an luchóg dheireanach imithe, chuaigh Rúbaí suas a luí. Ach …

… bhí boladh an cháca chomh láidir — chomh blasta, bhí an reoán ildaite chomh geal is chomh hálainn — siúd amach leis na luchóga, ceann ar cheann, chun go bhfeicfídís an cáca uair amháin eile. I mullach a chéile leo, ar dhroim is ar ghualainn, ag luascadh anonn
is ag luascadh anall. Ansin…

CRAIS!

Léim Rúbaí ina dúiseacht de phreab as an leaba.

Anuas an staighre léi go tapa go bhfeicfeadh sí …

AN CÁCA!

Thosaigh Rúbaí ag caoineadh.

Thosaigh na luchóga ag caoineadh.

Cáca an Rí. Ó bhó go deo.

Nár mhór an tubaiste í!

Bhí sé briste brúite ina smidiríní. Is gan am ag Rúbaí bhocht ceann eile a bhácáil roimh mhaidin, ní aisti féin ar aon chaoi. B'aoibhinn leis na luchóga cabhrú léi. Ach níor theastaigh aon chabhair ó Rúbaí, riamh — go dtí anois.

Den chéad uair riamh, thug Rúbaí cead do na
luchóga cabhrú léi. Síos is aníos leo. Anonn is anall.
Ó chistin go cuntar go cistin arís.

Suas ar na seilfeanna ó bhun go barr.
Ní raibh blaisín de dhraíocht nár chaith
siad sa bhabhla. Faoi dheireadh ...

Bhí siad réidh.

"Anois!" arsa Rúbaí.

"Sin agaibh cáca a oireann do Rí!
Is é réitithe díreach in am dá lá
breithe inniu."

"Cáca níos íontaí níor bhácáil mé riamh!" arsa Rúbaí
go ríméadach, le teachtaire an Rí.
Cáca chomh blasta, chomh daite, chomh…"
"… MÓR!" arsa an teachtaire.
"Tá sé rómhór le dul amach an doras!"
Ó bhó! Tar éis na hoibre go léir!
Ansin, chuimhnigh Rúbaí ar phlean…

Thug Rúbaí cuireadh don Rí, dá chlann is dá chairde an chóisir a bheith acu sa teach báicéara! "A Rúbaí Rua, seo an cáca lá breithe is deise dár bhlais mé riamh!" arsa an Rí. "Go raibh míle maith agat, a Rí" ar sí. "Ach murach na luchóga, ní bheadh sé leath chomh blasta."

Ón lá sin amach, bhíodh na luchóga ag cabhrú go minic sa teach báicéara. Agus b'aoibhinn leo bheith ag obair lena gcara, Rúbaí Rua!